Dedicaç

Ao meu querido amigo Raymond, na vasta tapeçaria da vida, poucos relacionamentos deixam uma marca indelével na jornada de alguém. Tenho a sorte de contar com você como uma daquelas almas raras e queridas, cujo apoio inabalável iluminou meu caminho da maneira mais profunda. Com sincera gratidão e transbordamento de emoções, dedico a você este humilde trabalho. Através dos altos e baixos da existência, você permaneceu um pilar firme de força, nunca vacilando em sua crença em minhas habilidades. No reino das palavras e da imaginação, você tem sido minha luz-guia, empurrando-me para frente quando a dúvida turva minha determinação e inspirando-me a alcançar as estrelas quando os sonhos pareciam ilusórios. Sua presença ressoa além dos limites da amizade, pois você tem sido uma confidente e uma musa, acendendo as brasas da criatividade dentro de mim. Seu intelecto aguçado, seu conselho inabalável e sua empatia incomparável deram vida às minhas palavras, conferindo substância e autenticidade às narrativas que dançam pelas páginas deste livro. À medida que a tinta flui das profundezas da minha alma, escrevo estas palavras com profunda gratidão. É uma prova de sua bondade inabalável, de sua crença inabalável em mim e de sua amizade inabalável. Quão abençoado sou por ter você ao meu lado, oferecendo consolo na adversidade e celebração no triunfo. Com esta dedicatória, gravo seu nome nas páginas iniciais, eternamente grato por seu apoio inabalável e por ser a verdadeira personificação da amizade. Com maior admiração, Roc Jane

Era uma vez, em uma cidade pequena e unida, um menino chamado Tommy. Com apenas cinco anos, ele já havia enfrentado desafios que a maioria dos adultos nem conseguia compreender. Tommy era um menino transgênero, nascido em corpo feminino, mas se identificando e vivendo como menino. Ele era uma criança inteligente e imaginativa que muitas vezes encontrava consolo em seus próprios mundos ficcionais. No entanto, neste dia em particular, a sua realidade se transformou em um duro campo de batalha.

Os dias alegres da infância de Tommy não duraram muito, pois sua vida estava cheia de tristeza e dor. Sua amorosa mãe, Sarah, lutava contra o câncer desde que Tommy se lembrava. Ela era uma mulher forte e resiliente que lutou bravamente, mas a doença cobrou seu preço. Apesar de inúmeras sessões de quimioterapia e dos tratamentos mais avançados disponíveis, a doença de Sarah avançou a um estágio em que a cura parecia impossível.

Apesar do grande peso sobre os ombros do jovem Tommy, ele permaneceu determinado a levar alegria à sua mãe de todas as maneiras que pudesse. Ele adorava ouvir suas histórias, sua voz acalmava sua alma. Foi durante uma daquelas sessões de contar histórias que uma ideia surgiu na mente imaginativa de Tommy.

"Mãe, você acha que existem criaturas mágicas escondidas em nossa cidade?" ele perguntou, seus olhos brilhando de curiosidade. Sarah, fraca, mas sempre solidária, sorriu e assentiu gentilmente.

"Gosto de acreditar que sim, Tommy", ela sussurrou. "Na verdade, uma vez li um livro sobre uma floresta mágica cheia de criaturas místicas. Você gostaria que eu lhe contasse mais sobre isso?

Os olhos de Tommy se arregalaram de excitação, prestando atenção em cada palavra de sua mãe. Enquanto ela continuava a contar histórias de seres encantados e suas aventuras extravagantes, ele não pôde deixar de se perguntar se essas criaturas mágicas poderiam trazer uma centelha de felicidade para suas vidas.

Impulsionado por uma nova determinação, Tommy decidiu embarcar em uma missão para encontrar essas criaturas místicas e trazer sua magia para o lado de sua mãe. Os dias se transformaram em noites enquanto ele procurava incansavelmente por pistas em livros, cantos escondidos e em sua própria imaginação vívida. Ele contou com a ajuda de sua melhor amiga, Lily, que acreditava nos sonhos de Tommy tão ferozmente quanto ele.

Juntos, armados apenas com a imaginação e uma pitada de esperança, Tommy e Lily partem numa aventura extraordinária pela sua cidade unida. Cada beco, cada árvore e cada parque infantil tornaram-se um tesouro de segredos à espera de serem desvendados.

Ao explorarem a cidade, encontraram fadas encantadoras voando pelos canteiros de flores, sussurrando segredos para as pétalas desabrochando.

Duendes travessos riam maliciosamente do topo dos postes de luz, enquanto pequenos gnomos espiavam por trás das roseiras. O coração de Tommy se encheu de alegria ao descobrir que as criaturas mágicas com as quais ele sonhara eram de fato reais.

Mas, como esperado, seus encontros mágicos foram apenas o começo dos desafios que estavam por vir. Os agitados cidadãos da cidade, consumidos pelas suas rotinas diárias, estavam alheios à existência destes seres místicos. Cabia a Tommy e Lily fazer os outros acreditarem na magia que residia em sua cidade.

Sem se deixar intimidar pelos olhares céticos e pelos sussurros duvidosos, a jovem dupla embarcou na missão de desvendar as maravilhas que haviam descoberto. Eles pintaram murais vibrantes em paredes desgastadas, decoraram árvores com penas coloridas que haviam caído das asas das fadas e deixaram pequenas guloseimas para os gnomos descobrirem. Lenta mas seguramente, a cidade começou a despertar para a magia que sempre os cercou.

À medida que a notícia de suas aventuras se espalhava, pais e filhos foram cativados pelo encanto que estava escondido diante de seus olhos. E no meio da excitação crescente, Tommy viu o rosto da sua mãe iluminar-se com uma nova esperança.

Embora a batalha contra a doença de Sarah estivesse longe de ser vencida, a magia trazida pela determinação inabalável de seu filho levantou seu ânimo e trouxe de volta o brilho aos seus olhos. Todos os dias, Tommy e Lily corriam para a cabeceira de Sarah, contando ansiosamente seus encontros com as criaturas mágicas, permitindo que ela embarcasse em suas aventuras através de suas descrições vívidas.

E nesses momentos, o amor e a imaginação compartilhados entre Tommy, Lily e Sarah criaram um vínculo que transcendia a dor e a tristeza. Juntos, eles encontraram consolo na magia que residia no mundo ao seu redor e no fundo de seus corações, lembrando-lhes que mesmo em meio às batalhas mais duras da vida, o amor e a imaginação podem criar possibilidades infinitas.

O pai de Tommy, James, fez o possível para proteger o filho da dura realidade da rápida deterioração da saúde de Sarah, mas as crianças têm uma intuição natural que permeia até mesmo as tentativas dos pais mais dedicados de protegê-los. Tommy podia sentir o sofrimento de sua mãe, sua força diminuindo, e isso fez seu pequeno coração doer.

Numa manhã sombria, enquanto as nuvens pairavam pesadamente sobre a cidade, James sentou Tommy para lhe contar a verdade. Lágrimas brotaram dos olhos de ambos enquanto ele explicava a perda iminente de sua amada Sarah, que tinha apenas alguns dias de vida. Lutando para encontrar as palavras certas, James confortou Tommy e garantiu-lhe que o espírito de Sarah estaria sempre com eles, cuidando deles. Ele enfatizou o quão importante era para Tommy se despedir.

À medida que o peso da notícia caía sobre eles, James procurava maneiras de ajudar Tommy a lidar com sua perda iminente. Ele criou espaço para Tommy expressar abertamente suas emoções, incentivando-o a compartilhar seus pensamentos e sentimentos. Eles passaram horas relembrando Sarah, rindo e chorando enquanto olhavam fotos antigas e compartilhavam histórias.

James também apresentou a Tommy a ideia de criarem uma caixa de memórias juntos. Eles selecionaram cuidadosamente itens significativos que os lembravam de Sarah e os colocaram em uma caixa lindamente decorada. Tommy encontrou conforto em ter esta representação física do amor e da presença de sua mãe, pois sabia que sempre teria algo em que se agarrar.

Reconhecendo o poder terapêutico das saídas criativas, James encorajou Tommy a expressar as suas emoções através do desenho e da escrita. De desenhos coloridos a cartas sinceras endereçadas a Sarah, Tommy encontrou consolo ao expressar seus sentimentos no papel. James ouviu atentamente as palavras de Tommy, validando suas emoções e permitindo-lhe processar sua dor de uma maneira única.

À medida que a saúde de Sarah continuava a piorar, James procurou apoio da comunidade. Ele descobriu uma organização local que fornecia recursos para crianças enlutadas. Tommy participou de sessões de grupo com outras crianças que haviam passado por perdas, onde compartilharam suas histórias e aprenderam mecanismos saudáveis de enfrentamento. Essas conexões aliviaram a solidão de Tommy, lembrando-o de que ele não estava sozinho em sua jornada de luto.

Com tempo, paciência e uma rede de apoio ao seu redor, James e Tommy encontraram maneiras de navegar juntos pelo doloroso caminho da perda, honrando a memória de Sarah e encontrando consolo no amor que os uniria para sempre.

Lembre-se de que o luto é uma experiência profundamente pessoal e complexa, mas encontrar saídas saudáveis, buscar apoio e valorizar as memórias de entes queridos pode nos ajudar a encontrar forças para seguir em frente.

No dia seguinte, enquanto o sol lançava um tímido raio de luz pela janela, Tommy entrou no quarto da mãe. Seus olhos azuis, antes vivos, agora pareciam fracos e distantes enquanto o câncer reclamava sua vitalidade. Tommy sentou-se timidamente na beira da cama, segurando a mão frágil dela com seu pequeno aperto. "Mamãe", ele sussurrou suavemente, tentando encontrar forças para dizer adeus.

Sarah, uma mãe amorosa e perspicaz, sentiu o peso das emoções do filho. Ela passou os dedos pelos cabelos dele e gentilmente o puxou para mais perto. "Oh, meu doce Tommy," ela murmurou, sua voz cheia de amor e tristeza. "Quero que você se lembre do quanto eu te amo, sempre. Não importa onde eu esteja, meu amor por você nunca desaparecerá."

Tommy apertou a mão dela com força, procurando palavras que se recusavam a sair. Ele sentiu uma mistura de medo, tristeza e raiva, incapaz de compreender por que a vida poderia ser tão cruel. Em meio às lágrimas, ele finalmente conseguiu sufocar as palavras: "Eu te amo, mamãe".

Os olhos de Sarah brilharam com o brilho de uma chama apagada enquanto um sorriso fraco cruzava seu rosto. "Meu corajoso garotinho", ela sussurrou. "Lembre-se de que você é amado por quem você é e sempre seja fiel a si mesmo. Você vai fazer coisas incríveis, Tommy, eu simplesmente sei disso."

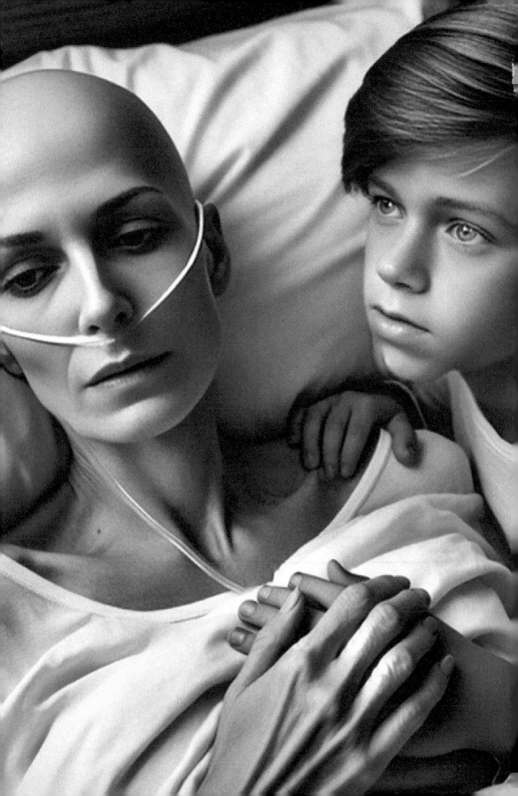

À medida que a noite caía, a respiração de Sarah tornou-se mais lenta e Tommy sabia que seu tempo com ela era curto. Ele reuniu toda a sua coragem, lutando contra as emoções agitadas, e sussurrou seu amoroso adeus. "Adeus, mamãe. Obrigada por ser a melhor mãe do mundo inteiro."

Sua voz ficou pesada no ar quando ele relutantemente soltou a mão dela. Os olhos de Sarah fecharam-se suavemente, sinalizando seu último adeus. Tommy sentiu uma mistura de alívio e desespero, sabendo que havia honrado os desejos de sua mãe, mas também compreendendo que a dor de perdê-la nunca desapareceria completamente.

Nos dias que se seguiram, a cidade se reuniu para homenagear a vida de Sarah, deixando Tommy sentindo-se ao mesmo tempo engolfado pelo apoio deles e estranhamente perdido em sua dor. Enquanto estava sentado no meio do mar de pessoas vestidas com cores sombrias, Tommy não pôde deixar de sentir uma pontada de solidão. Então, ele se lembrou da caixa de lembranças que ele e seu pai criaram. Num momento de silêncio, ele o retirou de seu quarto, abrindo-o com cuidado.

Lá dentro, uma enxurrada de lembranças queridas encontrou os olhos de Tommy – as fotos das férias em família, uma concha das viagens à praia, uma pequena bugiganga que Sarah lhe dera no seu quinto aniversário. Enquanto Tommy segurava cada item, lembranças de sua mãe o inundavam, como pequenos fragmentos do espírito dela saindo de dentro da caixa.

A morte de Sarah enviou ondas de choque pelo mundo de Tommy, deixando-o cambaleando com um profundo sentimento de perda e descrença. Inicialmente, ele lutou para processar a notícia, sua mente recusando-se a aceitar a realidade da ausência dela. A negação o envolveu como uma névoa sufocante, como se a qualquer momento ele fosse acordar desse sonho terrível.

Uma tristeza avassaladora consumiu Tommy, ameaçando afogá-lo em suas profundezas. Ondas de tristeza caíram sobre ele, ecoando dentro de seu peito enquanto ele tentava entender o vazio deixado pela partida de Sarah. O peso de suas emoções parecia insuportável, oprimindo-o e deixando-o sentindo-se perdido e à deriva.

Diante de tal desgosto, Tommy encontrou consolo em se afastar do mundo. Era como se ele precisasse do silêncio e da solidão para sofrer em particular. Ele se tornou um observador em vez de um participante, refugiando-se em seus próprios pensamentos e excluindo os outros.

Ele se agarrou a memórias e lembranças que o lembravam de momentos compartilhados, buscando uma conexão frágil com o passado. Ele encontrou conforto na familiaridade de suas rotinas, repassando conversas e revivendo risadas que nunca mais seriam ouvidas.

Nesse período de retração, Tommy precisava de espaço e tempo para aceitar sua imensa perda.

Após a morte de Sarah, o vínculo outrora sólido entre Tommy e seu pai começou a mostrar rachaduras sob o peso da dor compartilhada. Ambos perdidos na própria dor, as suas tentativas de comunicação falharam, deixando-os presos num mar de palavras não ditas e emoções não resolvidas.

O pai de Tommy, lutando com a sua própria tristeza, achou um desafio expressar abertamente as suas emoções. Sua dor se manifestou como um afastamento silencioso, causando um abismo crescente entre eles. Cada interação parecia tensa, sem a facilidade e o calor que antes definiam seu relacionamento. Tornaram-se navios que passavam durante a noite, a tristeza mútua separando-os em vez de aproximá-los.

A falta de comunicação eficaz tornou-se uma barreira que distanciou ainda mais Tommy e seu pai. As tentativas de discutir seus sentimentos muitas vezes terminavam em frustração ou mal-entendidos. Silêncios dolorosos enchiam o ar, pontuados por momentos de desentendimentos explosivos nascidos da dor compartilhada e da incapacidade de fornecer consolo um ao outro.

Em meio a essa dinâmica tensa, surgiram figuras de apoio na vida de Tommy, como faróis de esperança. Talvez um professor compassivo percebeu suas dificuldades e ofereceu uma presença reconfortante, um ouvido atento ou palavras de sabedoria. Ou talvez um vizinho sábio tenha proporcionado um espaço seguro para Tommy confiar, oferecendo orientação e incentivo durante esse momento difícil.

Essas figuras de apoio tornaram-se pilares de força para Tommy, preenchendo parte do vazio deixado por seu relacionamento tenso com seu pai. Eles ofereceram orientação sobre como lidar com o luto e encontrar maneiras de curar, ao mesmo tempo que encorajavam a comunicação aberta e a empatia.

Com a ajuda deles, Tommy encontrou momentos de consolo e compreensão, à medida que aprendia a expressar suas emoções e a encontrar sua voz. A presença deles lembrou-lhe que mesmo no meio da turbulência, havia pessoas que se importavam, pessoas que poderiam guiá-lo em direção a um caminho de cura e melhor comunicação.

Ao navegar nesta escuridão, ele poderia encontrar um vislumbre de esperança que o ajudaria a ressurgir, mais forte e mais determinado a honrar a memória de Sarah.

À medida que Tommy e o seu pai percorriam os seus caminhos individuais de luto, houve momentos de perdão e compreensão que ajudaram a reparar a sua relação tensa.

Um desses momentos ocorreu em uma tarde chuvosa de domingo. O pai de Tommy, refletindo sobre sua própria dor, percebeu os muros que vinha construindo entre ele e seu filho. Ele reconheceu que a dor mútua havia criado uma divisão, mas ansiava genuinamente por conexão e reconciliação.

Num gesto sincero, ele se abriu com Tommy sobre sua luta para expressar emoções e o medo de ter falhado como pai. Lágrimas escorriam pelos rostos de ambos enquanto compartilhavam suas vulnerabilidades, expondo a dor profundamente enraizada e o desejo de conexão que os atormentava silenciosamente.

Este ato de vulnerabilidade tornou-se um ponto de viragem no seu relacionamento. Tommy, vendo o remorso genuíno de seu pai, decidiu perdoá-lo. Ele entendeu que a dor afetou os dois de maneiras diferentes, fazendo com que eles se machucassem involuntariamente. Com o perdão veio um renovado senso de compaixão e empatia.

Daquele dia em diante, Tommy e seu pai trabalharam ativamente na comunicação. Eles fizeram um esforço consciente para estarem presentes um para o outro, criando espaço para conversas abertas e honestas sobre o seu luto. Eles compartilharam memórias de Sarah, rindo em meio às lágrimas. Eles se apoiaram um no outro nos momentos em que a dor se tornou insuportável.

Através destas experiências partilhadas e conversas autênticas, a compreensão floresceu entre Tommy e o seu pai. Eles perceberam que não estavam sozinhos em sua dor e que o amor que sentiam um pelo outro era uma força poderosa que poderia resistir a qualquer tempestade. A jornada deles em direção à cura se entrelaçou, fortalecendo seu vínculo a cada dia que passava.

Esses momentos de perdão e compreensão eram como remendos numa colcha delicada, cuidadosamente costurados com amor e vulnerabilidade. Eles serviram como lembretes de que, mesmo diante de uma dor imensa, a graça e a compreensão têm o poder de consertar até mesmo os relacionamentos mais fraturados.

Inspirado pelas palavras de sua mãe e pela conexão que sentiu através da caixa de memórias, Tommy embarcou em uma jornada para honrar a memória de Sarah e encontrar consolo na criatividade. Ele começou a desenhar, determinado a capturar a beleza que via no mundo através dos olhos dela. Linhas, cores e formas entrelaçadas no papel, criando cenas vibrantes que refletiam o amor e a inspiração que recebeu de sua mãe.

A arte de Tommy não capturou apenas a beleza externa; tornou-se um reflexo de suas próprias emoções e crescimento. Seus desenhos mostravam resiliência e força que irradiavam de dentro, contando histórias de amor, perda e coragem para seguir em frente, mesmo diante da escuridão.

Logo, a notícia do talento de Tommy se espalhou pela cidade. As pessoas ficaram cativadas pela sua capacidade de expressar emoções através da arte, e os seus desenhos chegaram a galerias e exposições. Através de suas criações, Tommy encontrou não apenas uma maneira de curar seu próprio coração, mas também uma maneira de tocar a vida de outras pessoas. Embora a dor ainda persistisse, ele descobriu um senso de propósito e uma maneira de manter vivo o espírito de sua mãe através do poder da arte.

Lembre-se de que a criatividade pode ser uma força poderosa de cura e autoexpressão em momentos de luto. Seja através do desenho, da escrita, da música ou de qualquer outra forma de expressão artística, permite-nos libertar emoções, encontrar consolo e conectar-nos com outras pessoas. A jornada de Tommy nos mostra que mesmo diante da dor de cabeça, a beleza pode ser encontrada e a luz pode emergir dos momentos mais sombrios.

Os meses se passaram e a vida avançou silenciosamente, mas Tommy carregava as memórias de sua mãe perto do coração. Com o passar dos anos, o menino tornou-se um jovem resiliente, sempre lembrando das palavras de aceitação e amor da mãe.

Tommy é realmente afortunado por ter tido uma mãe tão amorosa e solidária que o aceitou e abraçou como ele realmente era. Seu apoio inabalável estabeleceu uma base sólida para a jornada de Tommy. À medida que Tommy crescia e enfrentava os desafios do preconceito social e da dúvida, ele extraiu forças da aceitação de sua mãe.

Durante o sexto período, o coração de Tommy disparou quando ele descobriu um livro velho e empoeirado no canto da biblioteca. Folheando as páginas, com os dedos tremendo de antecipação, ele absorveu cada palavra, o peso do seu significado afundando profundamente em sua alma. Cada frase funcionou como um trampolim, guiando-o para uma nova compreensão de sua própria identidade.

Os dias se transformaram em semanas e, à medida que Tommy se aventurava em sua jornada de autodescoberta, ele encontrou uma tempestade de desafios.

Enquanto Tommy embarcava em sua jornada de autoexploração, um turbilhão de emoções o envolveu. Medo, confusão e um novo senso de propósito dançavam em seu coração e mente, tecendo uma complexa tapeçaria de emoções que exigiam sua atenção.

A princípio, o medo envolveu Tommy como uma mortalha sufocante. Sussurrava dúvidas e inseguranças, questionando o que significava explorar a sua identidade de género. O desconhecido parecia vasto e intimidador, deixando-o apreensivo quanto ao caminho a seguir. O medo da rejeição, o medo do julgamento e o medo do desconhecido, todos interligados, ameaçando impedi-lo de abraçar o seu verdadeiro eu.

Em meio ao medo, a confusão teceu seu intrincado padrão. Perguntas cascateavam pela mente de Tommy como uma chuva torrencial: Quem sou eu? O que significa ser transgênero? Como isso afetará meus relacionamentos e meu lugar no mundo? A incerteza tornou-se uma companheira constante, confundindo os limites entre o que ele pensava saber e os territórios desconhecidos nos quais se aventurava.

Mas nas profundezas do medo e da confusão, Tommy descobriu um novo senso de propósito – uma chama bruxuleante que se recusava a ser extinta. Momentos introspectivos revelaram vislumbres da verdade, provocando epifanias que ressoaram em seu âmago. Devorou livros e mergulhou em filmes e histórias que exploravam diversas experiências de identidade de gênero, encontrando consolo e inspiração nas experiências de outras pessoas que trilharam caminhos semelhantes.

Inicialmente, o melhor amigo de Tommy, Alex, rejeitou a identidade de Tommy. Quando Tommy confidenciou a Alex pela primeira vez sobre ser transgênero, a reação de Alex foi de confusão e descrença. A notícia pareceu destruir os alicerces de sua amizade, deixando Alex lutando contra uma mistura de medo, preconceito e falta de compreensão.

Por um tempo, a amizade deles ficou tensa enquanto Alex lutava para aceitar e compreender a identidade de Tommy. Houve momentos de constrangimento e silêncio tenso, pois Alex achou difícil se relacionar com as experiências de Tommy e os desafios que ele enfrentou. Noções preconcebidas e equívocos sociais obscureceram a perspectiva de Alex, impedindo-o de abraçar totalmente a verdade do seu amigo.

No entanto, com o passar do tempo, a divisão entre eles começou a cicatrizar lentamente. A semente da empatia foi plantada quando Alex se deparou com um documentário sobre indivíduos trans e suas lutas. Ele assistiu a histórias de resiliência e bravura, testemunhando a dor e a força que o próprio Tommy deve ter experimentado. De repente, o muro de mal-entendidos começou a desmoronar, substituído por uma nova curiosidade e vontade de aprender.

Procurando preencher a lacuna, Alex procurou Tommy, expressando o desejo de entender mais sobre sua jornada. Suas conversas tornaram-se profundas e sinceras, alimentadas por perguntas genuínas e por um desejo genuíno de compreensão. Tommy compartilhou pacientemente suas experiências, educando Alex sobre as identidades transgênero e os desafios enfrentados pela comunidade.

Com o tempo, os muros que Alex ergueu inicialmente começaram a cair, substituídos por uma crescente empatia e compreensão. Ele descobriu o poder de sair do próprio lugar, mergulhando de boa vontade na realidade de Tommy. Ao fazê-lo, Alex desenvolveu não só uma apreciação mais profunda pela coragem do seu amigo, mas também uma perspectiva mais ampla sobre o vasto espectro de experiências humanas.

O crescimento e a mudança são possíveis, mesmo diante da rejeição inicial. Demonstra que com educação, empatia e mente aberta, as pessoas podem evoluir, permitindo que a compaixão e a compreensão prosperem onde antes reinava a ignorância.

Lily, amiga de infância de Tommy, desempenhou um papel significativo em sua jornada de autodescoberta e crescimento. Depois de se reconectarem com Lily, eles se tornaram importantes pilares de apoio um para o outro, compartilhando suas experiências e enfrentando juntos os desafios da vida.

À medida que o vínculo entre eles se aprofundava, Lily também descobriu seu próprio caminho de autoaceitação e crescimento pessoal. Inspirada pela coragem de Tommy, ela embarcou em sua própria jornada para compreender e abraçar sua identidade, acabando por se assumir como queer.

Ao longo de suas respectivas jornadas, Tommy e Lily continuaram a apoiar um ao outro, compartilhando triunfos, contratempos e as lições que aprenderam ao longo do caminho. Eles representaram faróis de força e aceitação um para o outro, fornecendo apoio e compreensão inabaláveis.

Nos anos que se seguiram, Lily e Tommy mantiveram uma amizade próxima enquanto continuavam a explorar e a abraçar seu verdadeiro eu. Continuaram aliados e defensores da igualdade e da aceitação, estando lado a lado na luta contra a discriminação e o preconceito.

Diversos modelos surgiram, guiando Tommy pelo labirinto da autodescoberta. Eles se tornaram faróis de força, exemplificando as inúmeras possibilidades que o aguardavam. Suas histórias e resiliência despertaram algo profundo dentro dele, acendendo um fogo de aceitação, amor próprio e autenticidade.

A cada revelação, o medo lentamente se transformou em coragem, a confusão se transformou em clareza e o propósito floresceu no coração de Tommy. Fortalecido pelo conhecimento que adquiriu e apoiado pelas experiências de outros, ele começou a abraçar o seu verdadeiro eu – a pessoa que estava destinado a se tornar.

A jornada de autoexpressão de Tommy teve seus obstáculos e encontros com discriminação.

Na escola, ele enfrentou colegas que não entendiam ou não aceitavam sua identidade. Nos corredores, sussurros e olhares de soslaio o seguiam enquanto ele navegava pelo labirinto do ensino médio, sentindo-se um estranho. Alguns colegas fizeram comentários ofensivos, questionando sua identidade de gênero ou usando insultos depreciativos. Os corredores ecoavam calúnias depreciativas, com o objetivo de destruir seu espírito. Mas Tommy permaneceu determinado, como um farol de resiliência em meio à tempestade. Seu batimento cardíaco batia forte em seus ouvidos enquanto ele enfrentava cada insulto de frente, recusando-se a deixar a ignorância defini-lo. Esses momentos minaram a confiança de Tommy e o deixaram se sentindo isolado.

O bullying tornou-se um desafio recorrente para Tommy. Ele suportou insultos e xingamentos, enquanto seus colegas tentavam minar sua identidade. O objetivo deles era semear dúvidas, fazê-lo questionar seu senso de identidade. Às vezes, eles até espalhavam boatos ou fofocas, tentando manchar sua reputação. Esses atos de crueldade testaram a resiliência de Tommy, mas ele se recusou a permitir que eles o definissem.

Nas salas de aula, as discussões sobre gênero ou sexualidade muitas vezes traziam desconforto, ignorância e insensibilidade. Tommy se viu constantemente educando outras pessoas, explicando pacientemente a complexidade das experiências transgênero, desmantelando estereótipos e desafiando preconceitos. Esses momentos de defesa de direitos eram cansativos, às vezes deixando-o frustrado e desconhecido.

Ao enfrentar esses obstáculos, Tommy também encontrou aliados inesperados. Alguns colegas, vendo sua força e autenticidade, ficaram ao seu lado, oferecendo apoio e se posicionando contra a discriminação que enfrentava. Eles se tornaram um pilar de força para Tommy, lembrando-lhe que ele não estava sozinho em sua jornada.

Apesar de tudo, Tommy provou sua resiliência, enfrentando corajosamente as adversidades com graça. Os seus encontros com aqueles que não o compreendiam ou não o aceitavam foram trampolins no seu caminho para a criação de uma sociedade mais inclusiva. Cada obstáculo proporcionou uma oportunidade de crescimento e aumentou a conscientização sobre a importância da empatia e da aceitação.

Em meio ao turbulento mar de adversidades, Tommy encontrou consolo na companhia de seu grupo unido de amigos. A aceitação deles irradiava como um abraço caloroso, fortalecendo seu ânimo. Eles compartilharam momentos de riso e alegria, e seu vínculo foi fortalecido por meio de conversas sussurradas cheias de compreensão e amor.

Lily, fortalecida pela sua própria jornada pessoal, também se tornou uma fonte de inspiração para outras pessoas, remodelando percepções e desafiando as normas sociais. Ela usou a sua voz e experiências para promover a compreensão e fomentar uma comunidade mais inclusiva, criando espaços onde indivíduos de todas as origens e identidades pudessem prosperar.

Embora suas vidas tenham tomado rumos diferentes, o vínculo entre Tommy e Lily permanece inquebrável. Eles continuam a apoiar-se e a elevar-se mutuamente, celebrando as vitórias uns dos outros e oferecendo apoio inabalável em tempos de adversidade.

A amizade deles serve como uma prova do poder de aceitação, crescimento e de encontrar força na verdadeira identidade de alguém. Unidos pelo amor, pela resiliência e pelo compromisso comum de tornar o mundo um lugar melhor, Tommy e Lily permanecem aliados e amigos para toda a vida, para sempre ligados através das suas jornadas transformadoras.

Alimentado por sua nova confiança, Tommy ficou diante de sua comunidade escolar, com uma voz inabalável. Cada palavra que ele pronunciava parecia acender uma centelha de mudança, fazendo com que ondas de consciência se espalhassem pela sala. Os aplausos que se seguiram ecoaram em seus ouvidos, uma sinfonia retumbante de apoio e validação.

A jornada de Tommy não se limitou apenas ao seu crescimento pessoal, mas também à promoção da empatia e da compreensão. Um por um, ele se envolveu em conversas esclarecedoras com colegas, professores e funcionários, derrubando barreiras e construindo pontes.

Tommy acabou se tornando um defensor dos direitos dos transgêneros, oferecendo apoio e orientação a outras pessoas que enfrentavam desafios semelhantes. Ele canalizou sua dor para criar espaços onde indivíduos, como ele, pudessem se sentir ouvidos.

Em seu trabalho de defesa dos direitos dos transgêneros, Tommy enfrentou uma série de desafios. Ele encontrou resistência de indivíduos que não conseguiam compreender ou aceitar identidades transgêneros. No entanto, abordou estes desafios com resiliência e determinação, procurando educar e fomentar a compreensão através da empatia e do diálogo.

Tommy criou espaços de aceitação e apoio organizando grupos de apoio e eventos comunitários locais, onde indivíduos transexuais e seus aliados poderiam se reunir, compartilhar suas experiências e encontrar consolo em um ambiente seguro e inclusivo. Ele também trabalhou em estreita colaboração com escolas, organizações e legisladores para promover a inclusão dos transgêneros, defendendo a implementação de políticas e recursos que respeitassem e protegessem os direitos dos transgêneros.

Através dos seus esforços de defesa de direitos, Tommy pretendia quebrar barreiras, desafiar conceitos errados e criar uma sociedade mais inclusiva para todos os indivíduos transexuais.

Os esforços de defesa de Tommy foram como um farol de luz, atravessando a escuridão da discriminação e da ignorância. A cada passo que dava, seu objetivo era quebrar as barreiras que impediam os indivíduos transgêneros de viver de forma autêntica e livre de julgamento.

Através da sua determinação incansável, Tommy desafiou os equívocos iniciando diálogos abertos e honestos. Ele conversou com colegas, professores e funcionários da escola, respondendo pacientemente às suas perguntas e compartilhando suas experiências pessoais. Ao humanizar sua própria jornada, Tommy dissipou mitos e lançou luz sobre a realidade de ser transgênero, derrubando suavemente os muros da ignorância.

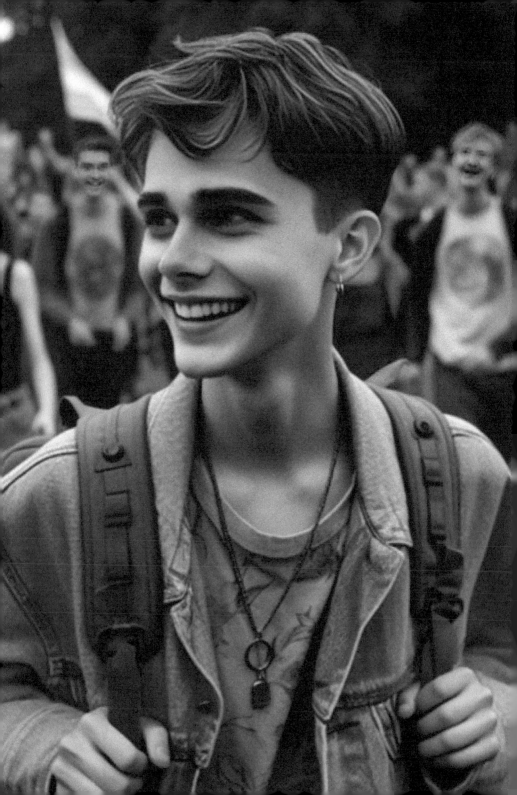

A abordagem de Tommy à defesa de direitos não foi conflituosa; em vez disso, ele se concentrou em promover a empatia e a compreensão. Ele organizou workshops e campanhas de conscientização, convidando palestrantes da comunidade transgênero para compartilharem suas histórias. Com cada evento, ele pretendia criar um espaço seguro para discussão e crescimento, convidando outras pessoas a se colocarem no lugar de indivíduos transexuais, mesmo que apenas por um momento.

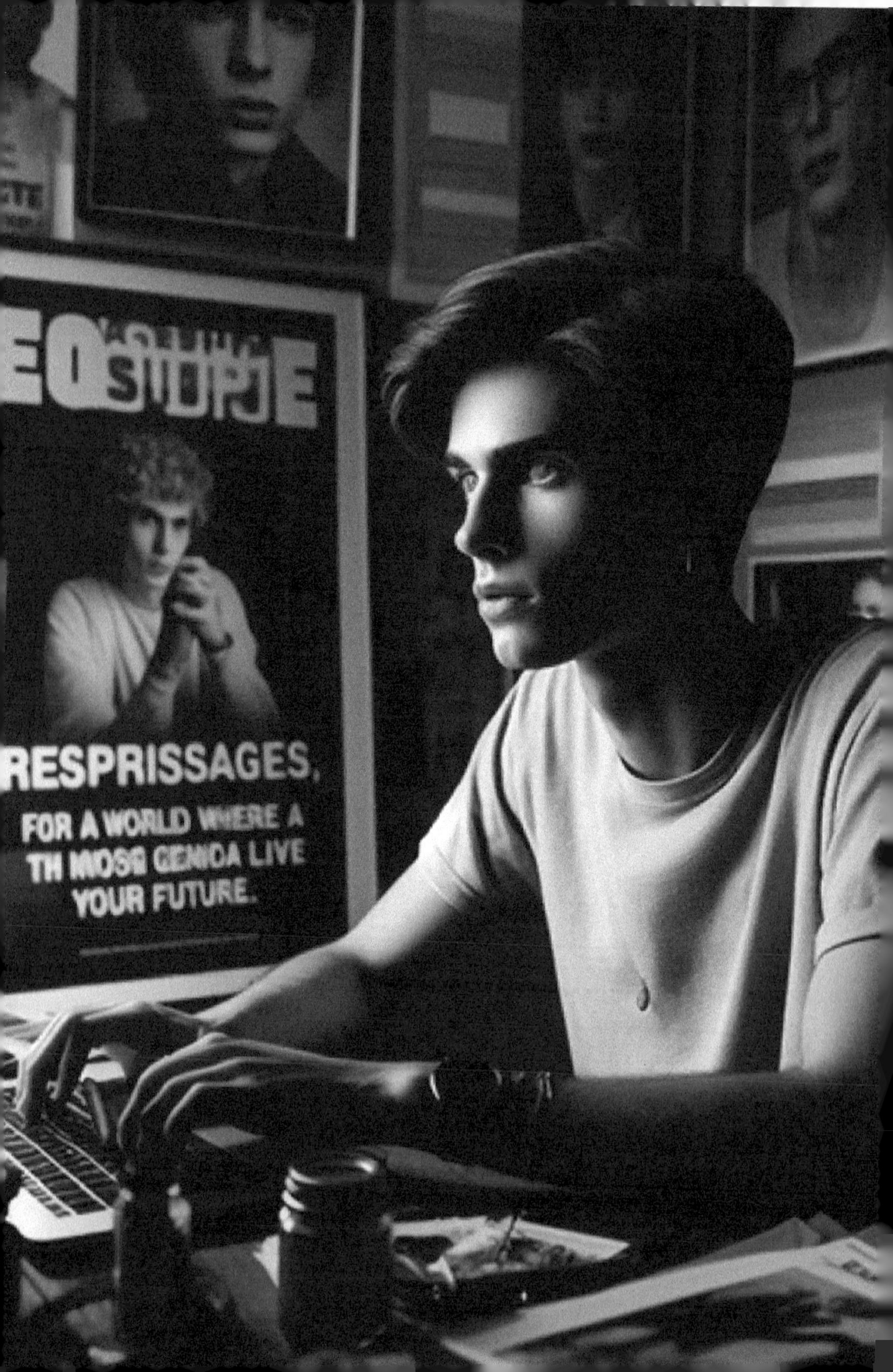

A cada interação, Tommy plantava sementes de mudança, regando-as com compaixão e paciência. Ele sabia que a criação de uma sociedade mais inclusiva exigia uma acção colectiva e incentivou outros a juntarem-se a ele nesta jornada.

No final, os esforços de defesa de Tommy não visavam apenas beneficiar a si mesmo, mas também criar um mundo onde todos os indivíduos transexuais pudessem viver autenticamente, sem medo de julgamento ou discriminação. Cada pequena vitória que ele alcançou abriu o caminho para um futuro mais brilhante e compreensivo.

Sua jornada é uma prova do poder do amor, da aceitação e do impacto transformador da defesa de direitos de uma pessoa.

Nos momentos mais sombrios, quando as nuvens de tempestade pairavam sobre sua cabeça, ele encontrava consolo no espírito inquebrável de sua mãe. O legado de Sarah viveu dentro dele, manifestando-se como força e determinação.

Embora carregasse consigo a perda da mãe todos os dias, Tommy encontrou consolo em saber que realmente havia se despedido, que a havia honrado de maneiras que nunca imaginou serem possíveis. E ao continuar seu caminho, ele abraçou a essência do amor inabalável de Sarah, transformando suas memórias em um farol de luz que o guiou adiante.

A jornada pessoal de autodescoberta e crescimento de Tommy foi verdadeiramente transformadora. Ao navegar pelos desafios de aceitar e abraçar a sua identidade como indivíduo transgénero, ele não só encontrou coragem para ser fiel a si mesmo, mas também aprendeu lições valiosas que mais tarde partilharia num poderoso fórum público.

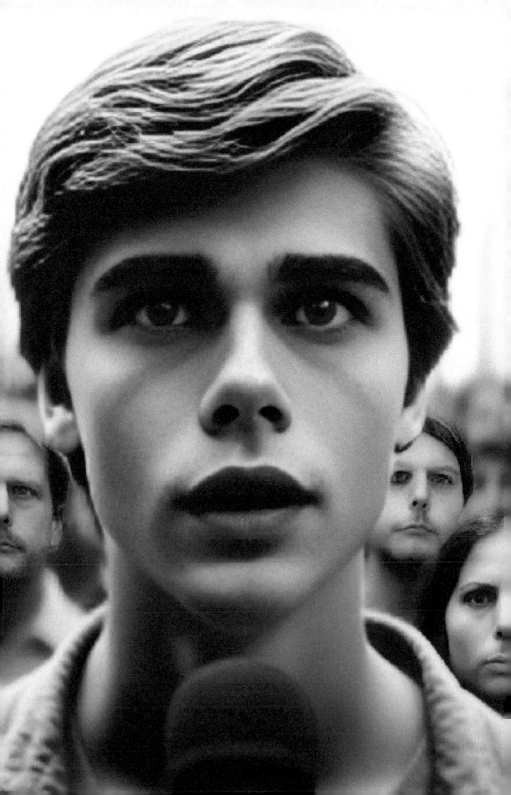

Diante de uma multidão de pessoas de todas as esferas da vida, Tommy compartilhou sua história com vulnerabilidade e autenticidade cruas. Ele se abriu sobre as dúvidas, medos e a jornada em direção à autoaceitação que vivenciou. Através das suas palavras, ele despertou esperança e inspirou outros a abraçarem as suas próprias identidades com orgulho.

A mensagem de Tommy foi clara: a individualidade não é algo a ser temido, mas sim comemorado. Ele encorajou todos a olharem para dentro de si mesmos, a abraçarem as suas qualidades únicas e a rejeitarem as pressões sociais que tentam enquadrar as pessoas em definições estreitas de normalidade.

Reconhecendo o profundo impacto da aceitação e do amor, Tommy exortou o público a abrir os seus corações para aqueles que podem ser diferentes deles. Enfatizou a importância de defender a igualdade e a aceitação, não apenas como aliados, mas como participantes activos na luta contra a discriminação e o preconceito.

Tommy deixou o público com uma mensagem sincera de empoderamento. Ele lembrou-lhes que cada pessoa tem o poder de fazer a diferença e que isso começa abraçando a sua própria identidade e estendendo a mesma aceitação e compreensão aos outros.

Com sua história, Tommy tornou-se um agente de mudança, inspirando indivíduos a trilharem seus próprios caminhos com integridade e a promoverem uma sociedade onde a aceitação e o amor prevaleçam. A sua jornada encoraja-nos a todos a encontrar a coragem de sermos autênticos e a criar um mundo onde a diversidade seja celebrada e a igualdade seja a norma.

A jornada de Tommy serve como um testemunho inspirador do poder do amor e do espírito indomável dentro de cada um de nós. Apesar dos desafios que enfrentou como indivíduo transgênero, Tommy nunca se permitiu ser definido ou limitado pelas expectativas da sociedade. Em vez disso, ele abraçou sua verdadeira identidade e encontrou consolo no amor e na aceitação inabaláveis que recebeu de sua mãe.

Através de suas experiências, Tommy demonstrou que o amor tem o poder de transcender barreiras e desencadear mudanças. Ele transformou sua dor e seus desafios em combustível para a defesa de direitos, dedicando sua vida à luta pelos direitos e pela aceitação de indivíduos transgêneros. A resiliência e determinação de Tommy tornaram-se um farol de esperança para outros que enfrentam lutas semelhantes, encorajando-os a permanecer firmes na sua própria verdade e a procurar apoio nas suas comunidades.

Em última análise, a jornada de Tommy nos lembra que dentro de cada um de nós existe uma extraordinária capacidade de amor, aceitação e resiliência. É um lembrete de que temos o poder de criar mudanças, de desafiar as normas sociais e de criar um mundo mais inclusivo e compassivo. A história de Tommy é uma inspiração para valorizar o poder do amor, abraçar o nosso eu autêntico e elevar os outros nas suas próprias jornadas de autodescoberta e aceitação.

BIOGRAFIA DO AUTOR

Roc Jane - Celebrando as joias invisíveis da vida Roc Jane, uma escritora perspicaz e uma observadora apaixonada dos momentos intrincados da vida, nasceu em uma pequena cidade pitoresca situada nas colinas encantadoras da narrativa. Quando criança, Roc Jane desenvolveu uma curiosidade insaciável, encontrando consolo e inspiração nas páginas dos livros que devorava. Foi durante os anos de formação que ela buscou refúgio no mundo das palavras, abraçando o poder da imaginação e da empatia. Com uma capacidade inata de descobrir a beleza das experiências cotidianas, a escrita de Roc Jane cativa os leitores e os transporta para um reino onde as emoções dominam. As suas palavras dão vida às situações mais comuns, revelando as histórias extraordinárias que sussurram sob a superfície da nossa existência. Guiadas pela paixão por capturar a autenticidade e cruzar realidades, as obras literárias de Roc Jane centram-se frequentemente na celebração de diversos indivíduos e nas suas jornadas pessoais. Ela explora com sensibilidade o delicado equilíbrio entre vulnerabilidade e força, iluminando a resiliência e a graça do espírito humano. Roc Jane vislumbra o epítome de uma vida bem vivida. Com um sorriso radiante que reflete seu contentamento, a Roc Jane significa o poder da autoaceitação e da alegria descarada. Roc Jane, através de sua prosa cuidadosamente elaborada, tece narrativas que capturam a essência da transformação positiva e da aceitação de um lugar feliz na vida. À medida que Roc Jane continua a encontrar consolo no comum, os seus leitores são convidados a partilhar a beleza que ela descobre e a embarcar numa viagem literária onde o extraordinário toma forma nos momentos mais simples.

Neste cativante livro de memórias, siga Tommy enquanto ele embarca em uma poderosa jornada de autodescoberta, navegando pelas intrincadas camadas de tristeza, identidade e aceitação. Quando a tragédia acontece, Tommy se vê às voltas com uma perda profunda, iniciando uma busca incansável para descobrir a verdade sobre sua própria identidade e se reconciliar com seu pai distante. Ao embarcar numa comovente exploração do luto, Tommy descobre que a cura é um processo profundamente pessoal.

Ao longo de sua jornada, ele descobre momentos inesperados de perdão e compreensão que preenchem a lacuna entre a dor e a esperança. À medida que ele desvenda as complexidades de sua própria identidade como indivíduo transgênero, a bravura e a resiliência de Tommy brilham, inspirando os leitores a abraçarem seu verdadeiro eu com autenticidade inabalável.

Através de momentos de vulnerabilidade, Tommy tece uma tapeçaria sincera de lições aprendidas. Do poder da compaixão e da empatia à força encontrada em abraçar a individualidade, este livro de memórias é um testemunho fortalecedor da natureza transformadora da auto-aceitação.

"Unveiling the Layers" é uma história de triunfo sobre a adversidade, um apelo à mudança social e um lembrete de que, abaixo da superfície, todos possuímos uma resiliência incrível e a capacidade de amar e aceitar uns aos outros incondicionalmente. Mergulhe neste profundo livro de memórias e embarque em uma jornada de autodescoberta que o deixará capacitado para abraçar sua própria verdade e lutar pela igualdade e aceitação no mundo.

Milton Keynes UK
Ingram Content Group UK Ltd.
UKHW021023280324
440232UK00007B/59